For Anna, who always laughs at my jokes.
Well, usually.
L.C.

To my young grandma, with love.
J.N.

Text copyright © 1993 Lindsay Camp
Illustrations copyright © 1993 Jill Newton
Dual language text copyright © 2008 Mantra Lingua
Audio copyright © 2008 Mantra Lingua
This edition 2008

Mantra Lingua
Global House
303 Ballards Lane, London N12 8NP
www.mantralingua.com
www.talkingpen.co.uk

Acompanhar a Chita

Keeping Up With Cheetah

Written by Lindsay Camp
Illustrated by Jill Newton

Portuguese translation by
Maria Teresa Dangerfield

Mantra Lingua

A Chita c o Hipopótamo adoravam contar piadas.
Na verdade era a Chita quem as contava.
O Hipopótamo apenas escutava e ria-se – dando
gargalhadas estridentes.
As piadas não eram lá assim muito engraçadas,
mas o Hipopótamo pensava que eram. E era por
isso que eles eram tão bons amigos.

Cheetah and Hippopotamus loved telling jokes.
Actually, Cheetah told the jokes. Hippopotamus just
listened and laughed – a deep, bellowy laugh.
The jokes weren't very funny, but
Hippopotamus thought they were.
And that's why they were such
good friends.

Mas havia uma coisa que fazia a Chita aborrecer-se com o Hipopótamo – ele não conseguia correr muito depressa.

But one thing about Hippopotamus annoyed Cheetah – Hippopotamus couldn't run very fast.

– Anda depressa, Hipopótamo – gritava a Chita sem
paciência. – Se não conseguires acompanhar-me,
não vais ouvir a minha piada nova.

"Come on Hippopotamus," Cheetah would
shout impatiently. "If you can't keep up
with me, you won't hear my new joke."

Mas não servia de nada. O Hipopótamo não conseguia correr tão depressa
como a Chita. Por isso a Chita tornou-se antes amiga da Avestruz.
O Hipopótamo sentiu vontade de chorar. Mas, em vez disso, decidiu treinar-se
e correu até que ficou de tal maneira sem fôlego que teve que se deitar.

But it was no good. Hippopotamus couldn't run as fast
as Cheetah. So Cheetah made friends with Ostrich instead.
Hippopotamus felt like crying. But, instead, he practised
running until he was so out of breath that he had to lie down.

E sabia que ainda não era
capaz de acompanhar o passo
da Chita.

And he knew he still couldn't
keep up with Cheetah.

A Avestruz, essa era capaz – quer dizer, quase. A Chita começou a pensar como era esperta em ter arranjado uma nova amiga assim tão boa.
– Queres ouvir a minha piada nova, Avestruz? – perguntou ela.

Ostrich could – very nearly, anyway. Cheetah thought how clever he was to have made such a good new friend.
"Would you like to hear my new joke, Ostrich?" he asked.

– Não, obrigada – disse a Avestruz. – Não gosto de piadas. Vamos correr mais um bocadinho.

"No thank you," said Ostrich. "I don't like jokes. Let's run some more."

A Chita já tinha corrido que chegasse para um dia. Queria era contar piadas. Por isso tornou-se antes amiga da Girafa. Agora o Hipopótamo estava ainda mais determinado a correr tão depressa como a Chita.

Cheetah had run enough for one day. He wanted to tell jokes. So he made friends with Giraffe instead. Now Hippopotamus was even more determined to run as fast as Cheetah.

Por isso escondeu-se e observou a Girafa e a Chita, que iam a passar a galope. As pernas longas da girafa pareciam voar à frente e a Chita agitava a cauda de um lado para o outro, para manter o equilíbrio.

So he hid and watched as Giraffe and Cheetah galloped by. Giraffe's long legs flew out in front and Cheetah lashed his tail from side to side to keep his balance.

Então o Hipopótamo tentou fazer isso mesmo.
Não era fácil.

Then Hippopotamus tried to do the same.
It wasn't easy.

CATRAPUS! O Hipopótamo estatelou-se!
Iria levar muito tempo para ser capaz
de acompanhar o passo da Chita.

Hippopotamus fell down with a **CRASH!**
It would be a long time before he could
keep up with Cheetah.

A Girafa, essa era capaz – quer
dizer, quase.

Giraffe could – very
nearly, anyway.

– Queres ouvir a minha piada nova, Girafa? – perguntou a Chita.
– O que é que disseste? – perguntou a Girafa. – Não consigo ouvir-te aqui de cima.
"Que interesse tem ter um amigo que nem sequer ouve as nossas piadas?", pensou
a Chita, mal-humorada.

"Would you like to hear my new joke, Giraffe?" Cheetah asked.
"Pardon?" said Giraffe. "I can't hear you from up here."
"What's the good of a friend who doesn't even listen
to your jokes?" thought Cheetah crossly.

E tornou-se antes amiga da Hiena.
Quando o Hipopótamo viu isso, sentiu-se encalorado e incomodado.
Havia apenas uma coisa que o faria sentir-se melhor.

And he made friends with Hyena instead.
When Hippopotamus saw this, he felt hot and bothered.
There was only one thing that would make him feel better.

Um bom, bem demorado e bem profundo banho de lama.
O Hipopótamo adorava espojar-se na lama. Quanto mais lama houvessc e mais
funda fosse, mais ele gostava. Mas já há muito tempo que não fazia isso, porque a
Chita dizia que era uma porcaria.

A good, long, deep, muddy wallow.
Hippopotamus loved wallowing. The deeper, the muddier, the more
he enjoyed it. But he hadn't had a wallow for a long time, because
Cheetah said it was dirty.

"Bem", pensou o Hipopótamo, "Agora posso fazer o que eu quiser." E nisto mergulhou no rio – SPLAASH! Soube-lhe maravilhosamente bem.

"Well," thought Hippopotamus, "I can do what I like." And he dived into the river – SPLOOSH! It felt wonderful.

Enquanto estava ali deitado pensou como tinha sido tolo.
Não era capaz de correr muito rápido, mas era capaz de espojar-se na lama.
E embora estivesse triste por perder uma amiga, sabia que nunca seria capaz
de acompanhar o passo da Chita.

As he lay there, he thought how silly he'd been. He couldn't run fast,
but he could wallow. And although he was sad to lose a friend,
he knew that he would never be able to
keep up with Cheetah.

A Hiena, essa era capaz – quer dizer, quase. A Chita estava muito contente.
– Truz-truz – disse a Chita.
– Ah-eeh-eh-eeeeh! – disse a Hiena.

Hyena could – very nearly, anyway. Cheetah was very pleased.
"Knock knock," said Cheetah.
"Ha-hee-he-heeee!" said Hyena.

– Devias ter dito "Quem é?" – disse a Chita bruscamente. – Que interesse tem contar-te a minha piada nova, se te ris antes de eu chegar à parte engraçada?
– AH-EH-EHEH-EH-EH! – gritou a Hiena.

"You're supposed to say, 'Who's there?' " snapped Cheetah. "What's the point of telling my new joke, if you laugh before I get to the funny bit?"
"HAH-EH-HEH-HEE-HEE!" screamed Hyena.

Nessa altura a Chita compreendeu que afinal precisava era de outro tipo de amigo. Podia correr sozinha, mas contar piadas só era divertido se tivesse alguém para as ouvir – e que se risse apenas das partes engraçadas. Onde é que poderia encontrar um amigo assim?

Then Cheetah realised that what he really needed was a different sort of friend. He could run by himself, but telling jokes was only fun if someone listened – and only laughed at the funny bits. Where could he find a friend like that?

Já tinha um! A Chita correu até à árvore que dava sombra, mas o Hipopótamo não estava lá. Enquanto se afastava devagarinho, a Chita começou a pensar como tinha sido tola em perder um amigo tão especial como ele.

He already had one! Cheetah ran to the shady tree but Hippopotamus wasn't there. As Cheetah walked slowly away, he thought how silly he had been to lose such a good friend.

De repente viu um par de olhos
a observá-la do rio.

Suddenly he saw a pair of eyes
watching him from the river.

– Truz, truz – disse a Chita.
– Quem é? – disse o Hipopótamo.
– A Hii-ta, é claro! – respondeu a Chita.
E o Hipopótamo riu-se e riu-se.

"Knock knock," said Cheetah.
"Who's there?" said Hippopotamus.
"H-eetah, of course!" said Cheetah.
And Hippopotamus laughed
and laughed.

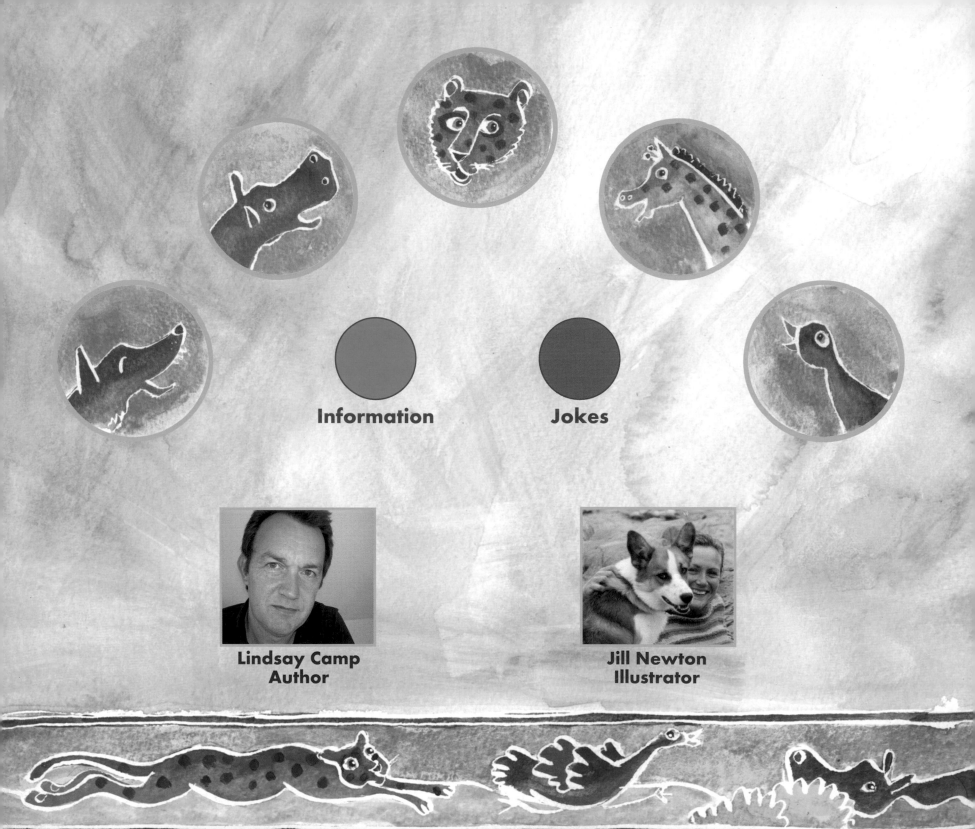

Information

Jokes

Lindsay Camp
Author

Jill Newton
Illustrator

Question